Grenouillard grandit

Rosamond Dauer

Grenouillard grandit

illustré par Byron Barton

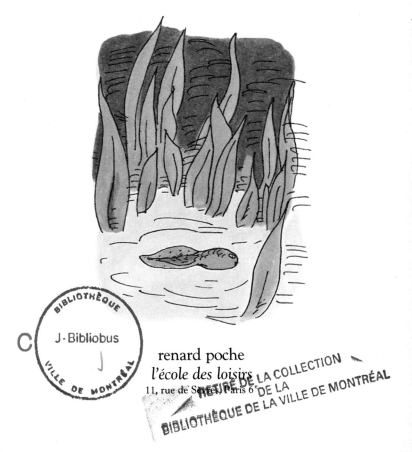

renard poche
l'école des loisirs
11, rue de Sèvres, Paris 6e

Traduit de l'américain par Isabelle Reinharez
© 1989, l'école des loisirs, Paris, pour l'édition en langue française
© 1976, Rosamond Dauer pour le texte
© 1976, Byron Barton pour les illustrations
Titre original: «Bullfrog grows up» (Greenwillow, Morrow, New York)
Loi numéro 49.956 du 16 juillet 1949 sur les publications
destinées à la jeunesse: mars 1990
Dépôt légal: mars 1990·
Imprimé en France par Mame Imprimeurs, à Tours.

Pour Chris et Mat

Un jour de printemps
Chris et Mat allèrent à l'étang
derrière chez eux
pêcher un têtard.

Ils en trouvèrent un qui nageait
dans l'eau boueuse.

Et qui leur dit:
«Je m'ennuie, tout seul.
Puis-je venir avec vous?»

Alors Chris et Mat
l'emportèrent chez eux
dans un seau.

Maman dit:
«Comme il est mignon!
Il est si petit.»

Papa dit:
« Il grandira
et deviendra une grosse
grenouille. »

Papa avait raison.
Grenouillard grandit, grandit.

Il devint si gros
que Chris et Mat
le mirent dans la baignoire.

Bientôt, il n'eut
plus de queue.
À la place, il lui poussa des pieds.
De *très* grands pieds.

Grâce à ses pieds,
Grenouillard pouvait
suivre Chris et Mat partout
et s'amuser avec eux.

Chris et Mat apprirent
à Grenouillard
à jouer aux cartes.
Ça lui plut beaucoup.

Il adorait surtout
la crapette.

Il aimait aussi manger.
Un jour, il bondit
hors de la baignoire
après un bon bain
et s'écria:

«J'ai faim.
Que diriez-vous d'un hamburger
avec des cornichons?»
«D'accord!» dirent Chris et Mat.

Et ils demandèrent à maman
trois hamburgers
avec des cornichons.

Maman ne posa pas de questions.
Pas cette fois-ci.

Mais bientôt elle commença
à se demander où passaient
ses provisions.

Tout disparaissait!

Maman alla trouver Grenouillard.
Il était assis au soleil,
sur le perron.
«C'est toi qui manges toutes
mes provisions?» demanda-t-elle.

«Eh oui»,
répondit Grenouillard.
«Je suis une grenouille
en pleine croissance.»
«Ça, c'est vrai», dit maman.

Et Grenouillard grandissait,
grandissait et
se trouvait très bien
chez Chris et Mat
et maman et papa.

Mais un soir,
après une terrible bataille
de polochons avec Chirs et Mat,

quand papa fut presque
enseveli sous les plumes,
il dit:

«Qu'est-ce que c'est que
ce Grenouillard?
Il mange nos hamburgers,
fait des batailles de polochons,
et joue aux cartes toute la journée.»

Tout le monde
resta muet,
sauf Grenouillard.

«Je vous aime tous»,
dit-il.
«Vous êtes ma famille.»

Chris et Mat dirent:
«Nous aussi, on t'aime, Grenouillard.
Aux cartes,
tu es le plus fort.»

Et on n'en parla plus
ce jour-là.

Mais quand papa rentra
à la maison
le lendemain soir,
Grenouillard était

assis dans le fauteuil de papa
et lisait le journal de papa,
chaussé des pantoufles de papa.

Papa s'assit
à côté de Grenouillard.
«Le moment est venu»,
dit-il à Grenouillard,
«de penser à ton avenir.»

«Mon avenir?»
demanda Grenouillard.
«Oui, ton avenir, dit papa.

«Il est temps pour toi de
fonder ta propre famille Grenouille.
Tu es grand maintenant.»
«J'y pense»,
répondit Grenouillard.

«La baignoire *et* ton fauteuil
deviennent un peu petits pour moi.
Mais comment vous quitter?
Je suis si heureux, ici.»

Chris et Mat et maman
embrassèrent Grenouillard.
«Nous aussi, on est
heureux», dirent-ils.
«Mais tu es trop gros
pour nous.
Tu dois te trouver un coin
à toi.»

Grenouillard réfléchit.
«Bon, dit-il. Mais
il va me falloir
un casse-croûte.»

«Oui», dit maman.

«Et un jeu de cartes»,
dit Grenouillard.
«Oui», dirent Chris et Mat.

«Et un dernier bain»,
dit Grenouillard.
«Oui», dit papa.

Alors Grenouillard
prit son bain,
empaqueta son casse-croûte
et emporta
son jeu de cartes.
«Je pars chercher
un très grand lac»,
dit-il.
«Je vais fonder
ma famille.»

«Tu nous manqueras»,
dit papa.
«On pensera à toi souvent»,
dirent Chris et Mat.
«Je ne t'oublierai jamais»,
dit maman.
«C'est sûr que je vais vous manquer»,
dit Grenouillard.
«Mais vous aurez de mes nouvelles
chaque printemps.
Vous m'entendrez chanter
et ce que vous entendrez
voudra toujours dire,
en langue grenouille,
que je vous aime.»

Alors on s'embrassa, et
Grenouillard prit la route
en agitant la patte et

en s'entraînant
à parler grenouille.